REMINISCENCE

Adonis

아도니스

만화
팀 아도니스

원작
헤돌이

동아미디어
DongA Media Co.,Ltd.

목 차

chapter 13

네가…

신…
이라고?

그래,
믿기지 않겠지.

나도 왜 내가
모든 신이 잠든
종말 후인 지금,

이 세계에서 홀로
눈을 뜬 건지
이해할 수
없으니까.

신성시대

모두가
특별한 권능을 지닌
신들의 아름다운 세상…

나는 하급 중에서도
최하급의 신이었다.

내 권능은
'세뇌'

고위 신에게는
통하지 않는
능력이었지만

하급 신의 신력을
나눠 받아
어떻게든 악착같이
살아갈 수 있었어.

나로선
어쩔 수 없는
삶의 방식
이었는데

모두가
이런 날
오물 보듯
했지.

하지만 그분은
그런 나에게
손을 내밀어 주셨어.

그분은 모두에게
사랑받고 추앙받는
누구보다도 강하고
아름다웠던 신.

최고 신
로베르슈타인!

두근

두근

그분이 선사해 주신
고귀한 붉은 신력이
몸 안을 채울 때

그 어떠한 쾌락이
주어졌을 때보다
행복을 느꼈어.

그런데 종말이
닥치기 전,

그분은 왜인지
자신의 모든 신력을
내게 넘겨주셨지.

잘 부탁한다.
르보니.

봉인이 풀린 건
겨우 20여 년 전.

멈칫

…….

웅성

웅성

그동안
세상은 완전히
변해 있었어.

그 많던
신은 사라졌고
인간으로
가득했지.

그 누구도
내가 있던
신성시대를
몰라.

신으로 구전되는
라오스조차
모습을 찾을 수 없었지.

나 홀로 미래에
남겨진 거야!

나중에 알았지만,
놀랍게도 인간은
자신의 심장 안에
적게나마
신력을
지니고 있어서

신력을
르보니에게
넘긴다.

신력을...
르보니에게...
...넘긴다...

나는 예전처럼
그들에게 신력을 받아
이 마도시대를
살아가기로 했지.

쨔우욱

추욱..

당시 악독한
고리대금업자로
유명했던 남자,
호르비도 역시
나의 세뇌 능력으로
조종했어.

더불어
내가 실수로라도
그분의 신력을
전부 소모하지
않도록

그분의
신력 일부를
호르비의 심장에
넣었지.

그렇게
기약도 없이
그분과의 약속을
지키기 위해서
살았어.

번쩍

그러다 어느 날,
나는 만나버린 거야.

그분의
향기가 나는
체르노
로베르슈타인을.

그리고 드디어
가까이 보게 된
체르노는
내 생각보다
훨씬 다정했어.

나는
진심으로
사랑에
빠져 버렸지.

무슨 영문인지,
체르노의 피가
신력을 거부했어.

나는 그분의 신력을
체르노에게
넘겨주고 싶었지만

하지만
그것도

이제는…
아무런 의미가
없어졌어….

…….

네게
그분의 기운이
짙어지기
시작한 건

아마도 검을
들기 시작한 것과
관계있나 보구나.

그분의 영혼은
검으로 각성하는
거였나 봐….
후후….

…내가
종말을 뛰어넘어
지금까지
존재하는 건

너를 이 세계에
탄생시키기 위해서
였을까?

21

내가 태어난 이유가
고대신의 부탁 때문이라고…?

입 닥쳐!!

chapter 14

바라지도 않는데
멋대로 낳아서
멋대로 미워하고

그러고 내게
책임을 전가하면
순순히 납득할 줄
알았나?

웃기지 마!
이전 생의
나는 그저…!

이걸 마님에게 가져다 드리렴.

나는···. 그저···.

쓰담

쓰담

짜악

네가…!

네가
사라체를
죽였어!

감히 네가
…!

나는 그저
애정을
바랐을 뿐인데…!

용서 못 해….

너희들….

전부….

후후

난 당신을
증오해!

동정은
한다!

하지만…!

당신이 지금
미쳐서 헛소리하든
진짜 신이든
이제 와서 무슨 말을
늘어놓아도

내 증오심이
희석될 일은
없어!

난 나야!

…….

그래….
너는 그분과
닮았지만

그분이
아니구나

넌
이아나야.

로 님….
잘 부탁한다고
하신 건
이 아이를 말씀하신
것이었나요?

하지만 이미
늦어버린 것
같아요.

저는
이 아이에게
많은 몹쓸 짓을
저질렀고

이 아이는,
자신을
괴롭히다 못해
죽이려고 든 저를
증오한답니다.

이제 와서
모든 걸 돌이키기엔
남은 시간도 기력도
더 이상은….

쭈욱

이아나

나를
해방시켜
줄래?

나는 너무
지쳤어.

더 이상
존재하고
싶지 않아.

그분의 신력을 가진
너의 검이라면
나를 해방시켜 줄 수
있을 거야.

내가 하는
마지막
부탁이자
소원이야.

자살이
허락되지 않는
신은
자신의 운명을
다른 신에게
맡긴다—.

…좋아.

그 소원,
들어주지.

서억

아얏…!
로베르슈타인
님…!

고마워요,
죄송해요.

이제 전
돌아갑니다
…!

하루 빨리 과거에서 벗어나
새로운 길로 나아갈 수 있기를….

……어서

툭

너를
만나고 싶다.

나의
황제여…!

chapter 15

로안느의 수도
테오도르

뽜아―

여기
접수증이오!

발젠타 학술원

어이,
당신 방금
새치기했지?

!!

저벅

저벅

힐끔

뽀

저벅 저벅

멍…

! !

어이, 밀지마!

내가 먼저 왔어!!

일찍 접수한다고 해서 합격률이 올라가는 것도 아닐 텐데….

매년 소란스럽군.

일단 여관부터 확보해둘까.

예쁜 아가씨 어디가요~? 태워드릴까?

어서오세요- [엘로나의 낙원] 입니다~

수험 때문에 방문하신 손님 여러분, 많이 피로하시죠~?

우리 가게의 추천 메뉴는 매일 같이 바뀌는 요리랍니다!

여주인 단테

저 단테는 요리를 저언혀 못하지만, 제 남편 덴마의 훌륭한 요리 솜씨를 즐겨주세요~!

남편 덴마

왔자

지껄

……

어머낫, 이아나 님! 어서 오셔용~

기억과는 좀 다른 모습이군, 단테….

전생의 단테

45

거기 멋진 붉은 머리칼의 아가씨~! 어서 들어오셔서 저희 가게를 빛내주세요~

입담은 여전한 걸.

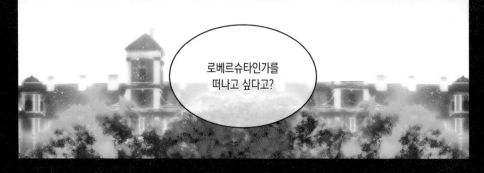

로베르슈타인가를 떠나고 싶다고?

네.

그래, 이제는
망설이지 않으리라.

네 뜻이
그렇다면—

지금의
너를 향해

몸조심하셔야해요,
아가씨!

일직선으로
나아가리라.

기다려라,
아르하드—!!

까아아아악!

쨍그랑

우리
블랙폭시를
상대로
간도 크구나!

낄낄

블랙 폭시!!

온갖 악행을
저지르는
거대 범죄 집단!!

함부로
건드렸다간
보복을 감당할 수
없을텐데….

괜한 불똥이
튀기전에
피하세….

어디 또
덤벼보라고!

……

더는 없나?!
어디 또
덤벼보라고!

여긴 순
겁쟁이들
뿐이구만!

하
하
하

스윽..

컥…!?

크아악!!!

!!

네 동료들을 데리고 당장 이 가게에서 사라져라.

뭐냐, 넌!!!

와

한번 당해 봐야 정신 차리겠구만!

악

크헉!!

크아아악!!

우오오—

...우와,
뭐야
저 여자,

chapter 16

이아나 아가씨! 일찍 일어나셨네요-!

좋은 아침이에요!

방긋

응, 덕분에요.

만석이라 들었는데 방을 따로 준비해줘서 고마워요.

아이~ 뭘요~.

특별한 분을 위한 방은 항상 하나씩 마련해둔답니다.

아, 맞다!

의사가 그러는데, 남편 다리는 휴식만 충분히 취하면 괜찮을 거예요!

그거 참 다행이군요.

덕분이에요! 그때 아가씨가 도와주시지 않았더라면 어찌 되었을지….

안절 부절

그런데 어쩌죠? 남편이 요리를 못 하니 당분간 식당을 휴업해야 할 것 같아요!

식사는 아직 안 하셨죠? 먹을걸 사 올까요?

신경 쓰지 말아요. 근처에 아는 식당도 있고—

후후 닮았네.

저벅

이 거리는 익숙하니까.

저벅

윙 마인…

59

맛있게 드세요~

낡았던 건물들은 새것처럼 깨끗하고

수고했어.

뭘요~

기억 속의 사람들은 좀 더 젊군.

나는 로보니. 로베르슈타인님의 추종자.

그리고 신성 시대의 사람….

아니, 신이다.

호록

회귀라… 신 따위는 없다고 생각했는데….

탁

나의 황금의 악마여.

나는 구슬피 통곡한다.
약속의 증표 페임드라의 생명은 마르고
낙원에는 종말밖에 남지 않았구나.

오늘 너는 나의 검을 받들고 스러지리라.
탄생과 불멸의 끝에 위치한 판데모니엄.
그곳에서 너는 잠들라.
나 또한 너의 곁에서 함께하노라.

그리고 마침내 세상에는
태양의 눈이 빛나는 순간이 오리니….

[라오스 성서]의 황금의 악마….

대체 그분과 황금의 악마는 어찌 되었는지….

혼자서만 유일한 신으로 숭배받는 라오스…. 그 쥐새끼 같은 것….

라오스의 권능은 창조….

로베르슈타인의 권능은 회귀일지도 몰라….

!

안녕하세요?

…안녕하십니까.

와아~
무시하지 않고
받아주시네~.

역시
귀족 아가씨로군요?
당신!

…….

앗-,
이거 실례~.

어제 저도
거기 있었어요.
그 뭐냐-,
'엘로냐의 낙원'?

정말
멋지던데요~!
다들 눈치만 보고
아무도 나서질
못했는데….

블랙폭시단의
보복이 두렵진
않았나요?

…….

보복 같은 건
없을 겁니다.

그런 저속한 소란을
피우는 놈들은
사칭이거나,
혹은 블랙폭시단에
속해 있더라도
말단 중의
말단이겠죠.

!

그런 녀석들의
보복을 위해
블랙폭시 본단이
움직일 일은
없을 겁니다.

이 시대에는
아직 밝혀지지
않은 사실이지만,

블랙 폭시의 정체는
바하무트의 명을 받아
활동하는 바하무트
제국의 개였다.

아르하드의
수족이 될
조직이니,
굳이 나서서
척을 지고
싶지는 않았지만.

만약
보복을 해온다면
그들과 개인적으로
친분이 있는
자들이겠죠.

그런 벌레들은
몇 마리가
찾아와도
상관없습니다.

벌레…
…요?

워엉

풉…
푸하하하
하하하!

?

과연…
마나를
다루시는
능력자답네요.

크큭..

내가
마나를 쓴 걸
눈치챘단
말인가?

보통 사람은
아니로군….
정체가 뭐지?

아, 제 소개가 늦었죠?

척

전 검술 학부 지망생인 에이지라고 합니다.

……

싱글 벙글

제 이름은 이아나입니다.

짝

어때요, 이아나 양?

지금부터 저와 대련해 주지 않으시겠어요?

……。

우물
우물

식사를
마친 후에
상대해 드리죠.

달그락‥

무섭지 않아요?

저벅

뭐가
말입니까?

저벅

저벅

저 같은
정체 모를 자가
말을 걸어도
무시하지 않고
예의를 갖춰주는
그 태도.

귀족이란 건
진작에
눈치챘지만

이름을 들으니
확실해졌어요.
상당히 좋은
집안 출신이군요.

저벅

저벅

귀족이라 해도
수백 개의 가문이
존재하는데…
이 남자는
정보상인가?

보통 귀족
아가씨들은
이런 어두운
길은 무서워서
못 다니던데.

이아나 양은
태연하네요.

…어둠을 꺼려하는
이유는 무엇이 그 안에
도사리고 있는지
모르기 때문이겠죠.

하지만
어둠 속에서
나타난 게
적이라면
베면 되고,

겁에 질린
아군이면
품어주면
됩니다.

두려움을
버린다면
어둠은 휴식을
취하는 데
도움을 주지요.

우와아
어린 아가씨가
세상 다 살아본
노인네처럼
말하시네요.

정말 재밌어요. 이아나 양은~!

...칭찬으로 받아들이죠

물론! 칭찬이죠!

아, 다 왔네요.

어때요,
괜찮은 공터죠?

이런 곳이
있었군.

시작할까요?

어이쿠!
성미도
급하셔라
네네-.

맞다,
대련이니까
마나는 사용하지
않기로 해요,
우리.

단검…?

그럼~

한 수
부탁
드립니다아-.

chapter 17

졌...

습니닷!

아- 정말 강하시네요.

이아나 양이 마나까지 쓰면 전 죽었을지도….

헤실

헤실

쩍

…당신에게는 불필요한 동작이 너무 많습니다.

실속 없는 공격을 섞어서 빈틈을 유도하는 거죠! …!

속임수에 치중하면 실력은 늘지 않습니다.

언동은 가볍다만 실력은 만만치 않았어, 이 사람….

한 손으로는 베어 오고 다른 손으로는 찔러오는 기묘한 공격.

마치
두 사람을
상대하는 것
같았다.

레이피어를 쓰는 사람은 대부분 방패도 같이 쓰던데

당신은 검으로 다 응대할 수 있군요.

그보다 어땠어요? 제 단검술은?

수준급이라고 생각합니다. 단검은 조금 생소한 무기니 부수적인 효과도 있겠죠.

사실 전 실전에 더 익숙해서요.

정식 대결보단 온갖 더러운 수법과 비겁함이 판치는 싸움에선 단검이 훨씬 유용하죠.

단검을 쓰는 이유도 바로 그 때문이고.

...방금 대련은 전력이 아니었다고 하는 겁니까?

이아나 양도
마찬가지
아니에요?

검은
찌르기 위한
도구인데
그러지
않았잖아요.

뭐~ 어쨌든
이아나 양은
실력도 배포도
백 점 만점에
이백 점!

떠빌

떠빌

내 마음에
들었으니
추가 점수도
이십 점 정도
줄까나~?

팟

슥

…그렇게
차분하게
받아치니까
더 열받는데.

눈이
보이지 않는 것이
싸움의 판도에 영향을
주지 않는다.

책

마나의
흐름이…
느껴진다.

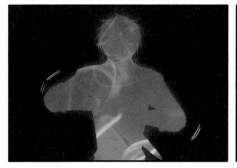

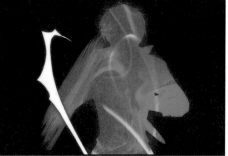

캉

가
앙

!

흠칫…

84

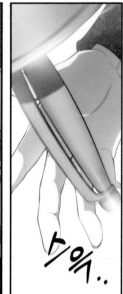

난투전이라면 저도 경험이 있고

더러운 수를 쓴 자에게 자비를 베풀 필요는 없다고 생각했습니다.

무슨 귀족 아가씨가 난투 경험까지....

괴물..

당신이야말로 정말로 저를 죽일 각오로 했다면 쉽지는 않았을 테지요.

조잡하게 모래 같은 걸 뿌리기보다는

품 안의 독과 아티팩트를 썼을 테니까.

!!

들켰나.

왜 학술원에 들어가려는 거죠? 출세를 노리는 것 같진 않은데.

......

…자세히는
말해줄 수
없지만

앞으로
우리 조직에 필요한
유능한 인재를
찾기 위해서랄까?

아, 물론
이아나 양도
리스트에 올랐어.
이젠 백 점 만점에
이백 점!!

…이 이상
말했다간
우리 둘 중 하나는
죽어야 하니까
비이밀★

됐습니다.
당신 목숨을
거둘 정도로
궁금한 건
아니니까요.

!

내, 내가
죽는 걸로
결정이야?

하 하 하

푸…
푸하하하핫!!

아 진짜 진짜
반해버리겠어,
이아나 양.

얼핏
냉정해 보이면서도
검을 쥐면
귀신같이 사람이
변하다니….

아아
정말이지,

당신 같은
사람이
그 사람 곁에
있어주면
참 좋을 텐데….

chapter 18

아직도 등록을 안 했어?!

오늘 하러 갈 겁니다.

우물 우물

당연하지! 오늘이 접수 마감날인데!

다들 일찍 하려고 난리던데, 왜 그러셨어요?

(시끄럽군)

!!

내가 시험에 대해서 좀 아는데 알려줄까~?

쫑긋

쫑긋

별로 관심 없습니다. 거기 뒷분들에게나 알려주시죠.

?!

우르르

우르르

이아나 양은 너무 무뚝뚝해! 말투는 무슨 중년기사 같고! 말 좀 놓고 그래!

저는 어리거나 제 아랫사람이 아닌 경우엔 반말을 잘 쓰지 않습니다.

그런 건 연습하면 돼! 연습~연습~!

여차하면 오빠라고 불러도 되고!

...알았다. 그럼 지금부터 그렇게 하도록 하지, 에이지.

에·이·지 노빠

충격

귀엽지 않아! 평범하게 좀 말해줘~~~!

어머, 왜요~ 기사님 같아서 멋진데~

피식

덴마 복귀

왕국 유일의 여공작,
군대의 총사령관이었을 땐
되레 걸맞은 말투였건만,

지금은 군을 지휘하거나
귀족을 상대할 때와는 다르니
너무 딱딱한 걸지도….

그럴게나
이상한가?

…일상생활에
다소 문제가 있다면
조금은
고칠 수 있어.

어라?
갑자기
부드러워졌네.

좋아-!
이아나 양이
선심을
써줬으니

나도
시험에 대해
말해주지!

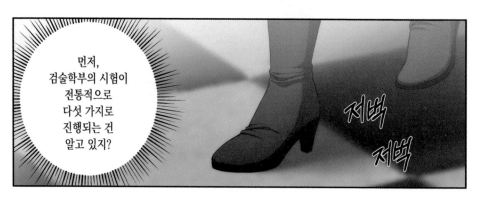

먼저,
검술학부의 시험이
전통적으로
다섯 가지로
진행되는 건
알고 있지?

이아나
로베르슈타인
입니다.

평가 항목은
체력, 정신력,
힘, 순발력,
그리고 검술이야

그중 검술은
늦게 접수할수록
좀 불리해.
지원자가 많기 때문에
여러 팀으로 나눠서
며칠에 걸쳐서
시험이 치러지기
때문이지.

검술학부로
신청합니다.

접수되셨습니다.
14603번째
수험생이십니다.
여기 번호표입니다.

전통적으로
첫 번째 시험은 언제나
체력을 평가하는데,
이 시험이 보통
힘든 게 아니야.
그래서 다음 시험까지
휴식을 취하려고
다들 첫 번째 시험을
빨리 치르려고 하지.

기잉

이틀 앞서
합격함.

—이상!

그럼 힘내!

힘내세요!

시험 당일

환영합니다, 수험생 여러분!

저는 발젠타 학술원의 시험 조교이자 검술학부의 부장을 맡게 된 라이언이라고 합니다!

여러분은 1차 시험의 마지막 조입니다. 이 중 100명이 선발될 때까지 진행합니다.

검술학부 부장이래.

대단한데!

시험 방식은 다음과 같습니다. 여러분 앞에 각각 준비된 목검과 허수아비가 보이시나요?

이 허수아비의 얼굴 부분에는 마법학부의 협력을 받아 제작된

마법의 종이가 부착되어 있습니다.

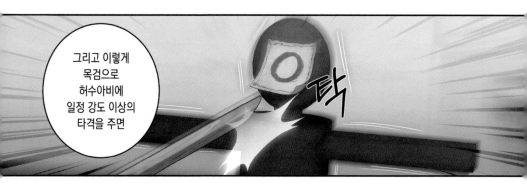

그리고 이렇게
목검으로
허수아비에
일정 강도 이상의
타격을 주면

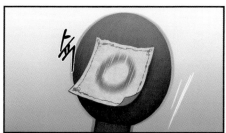

타격된
횟수만큼
숫자가
변합니다.

이 숫자의
한계치인
9999번을
채우는 것이
합격 조건입니다.

또한
5초 이상 타격이
카운터 되지 않으면
자동으로
실격 처리됩니다.

중도 포기의
경우엔 목검을
허수아비 옆에
세워두고
퇴장하시면
됩니다.

이상입니다! 질문 있으십니까?

네! 14603번 수험자 분!

찌르기도 타격에 포함됩니까?

찌르기도 가능합니다!

다만, 찌르기의 경우 허수아비의 동체가 젖혀질 수도 있습니다.

그 경우엔 저 역시 움직여도 괜찮습니까?

네! 공격의 형태는 자유입니다!!

쳇! 계집애가 종알종알 대기는….

왜 이런 곳에 여자가 와 있는 거야?

더이상 질문 없으신가요? 그럼 호각소리를 신호로 시험을 시작하도록 하겠습니다!

삐익

이 정도면
되겠군.

파악

번쩍

따닥

타닥

파악

따따

14602번!
무타격
5초 초과!
실격입니다!

어…나?

아악!!

……

풉….

chapter 19

말은
체력 시험이지만,
실은 정신적인 부분을
더 시험한달까?
끝까지 견디는 게
과제라고 할 수 있지.

에이지
말대로군.

하아..

하아..

14601번!
괜찮습니까?

화들짝

앗…. 네!
계속하겠습니다.

하아….

여기까지!! 남은 인원 100명으로 1차 시험을 종료합니다!!

2차 시험은 내일 오전 10시에 제1마법학관에서 시작됩니다!

드… 드디어….

해냈다!

시간에 주의하시고, 출구에서 번호표를 체크하신 후에 퇴장을….

다행이다….

14603번이죠? 수고 하셨습니다.

실례가 되지 않는다면 이름을 물어봐도 될까요?

이아나입니다.

사실 질문하실 때부터 인상 깊게 보긴 했지만 정말 놀랐습니다!

설마 두 시간 만에 합격점에 도달하실 줄이야......

감사합니다.

검술학부에 홍일점이 생길지도 모르겠군요.

선후배 관계로 다시 만나기를 기대하겠습니다.

오-! 누가 나왔다.

엥? 여자 아냐?

저벅 저벅

!

이-아-나-양~! 통과했어?

어때? 피곤하지?

그다지….

합격자야?

오호, 역시! 그럼 축배나 들러 갈까?

저, 저기! 잠시만요!!

타다다다..

!

시험장에서 봤던…?

하아..

하아.

저… 저기….

고맙습니다!!
아가씨 덕분에
통과했어요!!

꾸벅

?

뭐야?
조언이라도
해준 거야?

아니.
아무것도…

그, 그게
아니라
실은 저…

저보다
여린 아가씨가
먼저 통과하는
모습을 보고
자극을
받았거든요….

도저히
떨어질 수 없겠다
싶어서…
오기로 끝까지
버텼더니,

짝

빠각

덕분에
통과했어요!!
정말
감사합니다!!

아아….

헤에
그랬구나.

네!
정말 놀랐어요.
제가 사천 번 정도
때렸나 했을 때

이미 만 번을
다 채우시고
쉬시는 모습이
특히….

뭐?
만 번!?
그걸 다
채웠어!?

그게
합격 조건
아닌가.

그건
그렇지만 보통
못한다고!

으으… 9999번이다.

정말 놀라웠어요!
허수아비가
불쌍히 여겨질
정도로….

알아, 그 마음.
이아나 양이
좀 괴물이어야지.

절레
절레

평소 수련의
결과일 뿐이야.

그런데 이아나 양보단 당신이 더 여려 보이는데?

이아나양에게 한 대 맞으면 짜부라지는 거 아니야?

하하

그, 그렇지 않습니다!!

어어

촤악

여기요!!

?

척

보세요!
제 팔이 좀 더
굵잖아요!

척

…그래서?

키도 아가씨보다
좀 더 크고…
아마 몸무게도….

아가씨가
저보다
여리시다고요!

…풉.

하 하

생긴 건
곱상한데
제법
마초 기질이
있군!!

에이지,
실례다.

하 끈

아, 아무튼!!

그럼 2차 시험에서 뵐게요!!

오, 그래! 나도 간다.

그러지.

헤레이스 도련님!

우왓! 집사?!

！

아하, 헤레이스 벤덤이었군. 벤덤 자작가의 병약한 도련님.

얼굴을 보는 건 처음이네.

벤덤이라면 그 벤덤 검술로 유명한 가문인가?

맞아.

헤레이스 쪽이 동생이고 형 쪽은 이미 검술학부생 일 거야.

합격 축하합니다, 도련님. 장하십니다.

이, 이런 곳에서 울지 마.

요즘 후계자 문제 때문에 분위기가 상당히 험악한 것 같던데

호오…

뭐야, 자세히 듣고 싶어? 이아나 양?

별로.

정보상 주제에 입이 가벼운 녀석….

뭐, 어쨌든 합격도 했으니 축배다!

단테 부인이 준비한다고 했으니 어서 가자고!

!

……

누가
어깨동무를
하는 건…
처음이군.

풋ㅡ.

나쁘지 않아.

응?
뭐가?

아니다.
가지.

다음 날,
제 1 마법학관.

1차 합격생
여러분!!
그럼
이제부터…

두둥

제2차 시험을
시작하도록
하겠습니다!

chapter 20

미안해….
이아나 양….

어제

섣불리
축하주 같은 걸
마시는 게
아니었는데….

1차 시험
통과 축하!

…됐다.
술맛은
좋았으니까.

우웩

그보다….

부들
부들

대체 뭐냐고!
이 시험은!!!

2차 시험
실시 중.

포르륵…

덜덜덜

123

…시험장소가 마법학관이니까 마법을 쓰는 시험이겠거니 했는데….

안이한 생각이었어…

또르르…

또르르…

덜덜덜 또르르…

안 그래도 어지러운데 좁쌀만 한 구슬을 계속 꿰고 있으려니 진짜 토할 것 같아….

잠자코 해라.

저어….

안녕하세요. 저도 대화에 좀 끼워주시면 안될까요?

앗, 헤레이스 벤덤군. 그래, 어서와.

고맙습니다.
그런데 어떻게
제 이름을?

아, 요전에
집사가
부르는 걸
들었지.

통성명이
아직이지?
난 에이지.
스무 살이야.

아차,
어려 보여서
무심코
반말을 썼네.
미안.

아, 아뇨.
전 열일곱
입니다!

그럼….
이분은….

나는
이아나
로베르슈타인.

현재
로베르슈타인
백작 가문에
적을 두고 있다.

로베르슈타인 백작 가문이요? 대단히 좋은 집안의 아가씨네요.

그런데 왜 왕립 테오도르 아카데미가 아닌 발젠타 학술원에…?

…독립할 생각이라서.

독립이요? 와 저, 저도 독립할 생각인데….

응…? 자네는 왜?

후계자 문제가 좀…. 저와 형님을 두고 내부 분쟁이 있어서요.

싸움은 되도록 하고 싶지 않아서 제가 양보할까 해요.

뭐야. 젊은데 야망이 없군~

야…. 야망이라면 있어요!

쯧쯧

사랑하는 반려자를 만나 행복한 가정을 꾸릴 거예요!

그걸 위해서 훌륭한 남자가 될 겁니다!

힘든 일은 제가 도맡아서 할 거고, 자식들도 많으면 좋겠어요!

하하

까르륵

귀여운 녀석일세.

풉….

무척 좋은 꿈이군…. 꼭 이루도록 해.

네… 네에….

이아나 양은 평소에도 그렇게 웃도록 해. 무척 예쁘니까.

구슬이나 마저 꿰시지.

이봐! 거기! 시끄러워!!

여기에 뭐 수다 떨러 온 거야? 엉?

뭐야?
왜 우리한테만
그러는 건데?
다들 떠들잖아.

시끌
시끌

닥쳐!
뒤에서 쫑알쫑알
시끄럽게 구니까
그렇지!!

어, 어….
싸우지들
마세요!

그냥 뭐.
싸움 구경이
제일 재밌는
거니까.

참나,
이 지긋지긋한
작업을 하는데
잡담도 못해?

알았어,
알았다고~
그렇게 화내지 마~
근데 어쩌나.
우린 셋이고
댁은 혼자잖아.

맘에 안 들면
댁이 자리를
옮기는 게 어때?
그 편이 합리적이지
않아?

아앗?

뭐 친구가
없어서 쓸쓸한 건
이해하는데,
그렇다고 화풀이를
하면 쓰나.

하나 충고하자면,
그렇게 심술 맞게
굴면 평생 외톨이로
인생을 보내게
된다고~

크으으…

아, 피하지 못하면 즐기라는 말 알아?

애초에 이런 시험은 말이야….

시, 시끄러워!!

버럭

시끄럽다고! 으아아악! 이 @##$&@! @#$%$##!

어라, 도망쳐 버렸네.

칫-.

저 남자… 왠지 낯이 익군….

투덜 투덜

상종을 못하겠네.

로베르슈타인 영지는 아니고…. 혹시 회귀 전에 봤던가?

저렇게 특징적인 외양이라면 기억이 날 법도 한데….

진지

?

휙

이상한 얼굴….

이아나 양, 저런 남자가 이상형이었어?

무슨 헛소리지?

좋아! 이 에이지님의 프로페셔널한 솜씨로 저자의 정보를 캐 주지!!

프로? 따로 하시는 일이 있으세요?

아! 나?
그게…
말이지….

?

앗!
말하고 싶지
않으시다면
굳이
가르쳐주시지
않아도….

아, 아니.
조금 숨겨야 할
직업이긴 한데….
일단 정보상을
하고 있어.

정보상…
이요?

그래.

음….
정보상이란 건
말이야….

잘그락‥

이 구슬처럼 셀 수없이 많은 은밀한 진실을 알고 있지만,

이런 진실을 꿰뚫고 진실의 주인에게 비수를 찌른다는 것은 상당히 위험한 법이지.

진실은 누군가에겐 비수가 될 수도 있거든.

자르르..

예를 들면….

예를… 들면?

꿀꺽

133

이아나 양의 쓰리 사이즈는 34-24-35 지.

잘 나가다가 마무리가 상당히 저질스럽군.

후후후…. 봤지? 이렇게 위험한 일이라고.

뭐, 반쯤은 농담이지만 말이야~ 정말 알아봐 줄까?

저 남자에 대해서.

필요없어.

크르릉‥

크악

여어!

뭘 저렇게
경계한담?

더 파헤쳐서
벗기고
싶어지잖아.

에이지씨는
위험한
사람일지도..

할짝

내버려 두자….

135

5일 후

빽

2차 시험 종료!

드디어 끝이군..

이제부터 무게를 재도록 하겠습니다!

chapter 21

그럼 측정을 하겠습니다.

번호표를 내밀어 주세요~

네에~

13.48295kg

13.48295kg!

8544번 수험생 님….

와아~ 제가 잰 것 중에 제일 무거워요!

이거라면 500위 안에는 당연히 드시겠어요.

네에~

그럼 다음 분~

139

14.20859kg

14603번
수험생님…

14.20859kg!

두등

14.82931kg

14601번
수험생님…

14.82931kg?!

두등

세 분 다
굉장하시네요.

언제
이만큼이나
한 거야?
헤레이스.

다 여러분
덕분이죠.

집중력이
보통이
아니군.

와아아‥

칭찬받았다….

*
즐겠네.

*
헤헷

이제,
합격선을 발표
하겠습니다!

번쩍

7.24338kg

500위를
하신 분의
무게는
7.24338kg
입니다!

140

141

에이지 형님은 시험 내내 저 분을 괴롭히지만 않았다면 기록이 더 좋았을 텐데….

시끄러워! 네놈 때문에 하마터면 떨어질 뻔했잖아!!

오, 잘됐네. 축하해~

!!

?

후다닥

7.24

왜 저러지?

모르겠군.

앗! 제가 1등이에요!

대단한걸.

축하한다, 헤레이스.

저, 정말 기뻐요….

끌썽

울긴 또 왜 울어~ 좋아! 이번엔 너도 같이 한잔 마시자!

훌쩍

마중 나왔습니다-.

어머! 귀여운 도련님 이시네~

시끌

시끌

하 하 하

하 하 하

144

에이씽!

타악

?

중얼 중얼

중얼

?

나라고…
이런 몸으로
…….
태어나고 싶어서
태어난 게
아니라고….

노력을 해도…
노력을 해도
안 되는 이 거지 같은
몸 같으니….
흑흑….

글썽

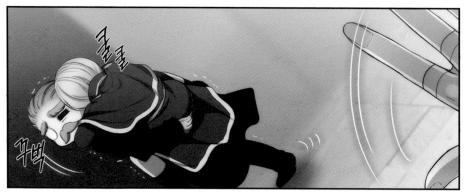

이아나 양이랑 에이지 형님처럼
좋으신 분들도 만나고…
이렇게 1등이라는 것도 해보고…

고집부려서
이번 학술원 시험을
치러오길 잘했어요.

난 딱히
헤레이스가
약한 것 같지는
않은데.

동감이야.
헤레이스는
약하지 않아.

언제나
그 빌어먹을
집안이 문제다.

헤레이스 녀석 이야기, 더 듣고 싶지 않아?

그 애한텐 중요한 비밀이 있는데 말이야~

다른 사람의 입으로 친분 있는 사람의 비밀 얘기를 듣고 싶진 않아.

엥, 그럼 난 어때? 나도 비밀 많은 남잔데?

별로.

딱히 그걸 모른다고 해서 당신이 에이지가 아닌 것은 아니니까.

뭐?

149

심술궂고,
변태 같은
에이지.
비밀은
있겠지만

하지만
꽤 재밌고,
솔직해.

내가 보는
당신의 모습에
거짓은 없다고
생각한다

위선적으로
보이는 건
없어.

나도
비밀 정도는 있어.
나 말고도
누구나 마찬가지지.

내게는
지금의 당신이
에이지다.

나중에
그 사람의 비밀을
알더라도,
그리고 그 비밀이
내게 위험이 된다
하더라도

그 순간의
그 사람이
나의 완전한
아군이라면….

이라면?

나는
그 위험을
받아들인다.

푸하하핫!

크크크….
대단해.
이아나 양은
어떻게 그런 말들을
할 수 있어?

정말
뇌 구조가
궁금하다고….

크큭..

어질

하….
정말….

털푸덕

쿨ㅡ.

콩

정말…
어떻게….

나같이
썩을 대로
썩은 인간의
마음을….

이렇게 뒤숭숭하게
만들 수 있는지….

이틀 후

그럼,
3, 4차 시험을
시작하겠습니다!

3차는 근력!
4차는 순발력!

양쪽 다 절대평가
방식이므로
차례대로
대기하여 주십시오!

우린 꽤
기다려야
할 것 같군.

네.

153

chapter 22

더 이상은 못 참겠구마잉!

니눔 자식! 그런 계집애처럼 곱상한 말로 깐족거리지 좀 말더라고!

뭐, 뭐야!

난 옆에서 잘하라고 응원해 준 것뿐인데….

시방 내가 수도 말 쓸 끼라고 스트레스를 월매나 팍팍 뻗고 있는지 알어?! 근데 니눔은 옆에서 살살 말이나 걸고 말이여!

아따, 나도 이제 못 참것다! 나도 됐다 이 말이여! 이 빌어 처먹을 수도 깍쟁이들 말을 내가 왜 써야 하는 겨?

버럭

버럭

내 말 쓰니께 속이 다 시원하구마잉!

으하하하하!!

156

뭣이여!
나를 왜
그런 꾸리한
생선 눈깔로
보냐!

아… 아니,
예상은 했지만
너무 심해서
…….

흥! 암튼
나가 사투리 쓴다고
시골 촌놈이라
깝죽거리는 놈들,
하나만 걸려 보랑께!

이 주먹으로
아주 묵사발로
만들텡께!

11523번 수험생!
통과니까
가도 좋습니다!

다들
자신의 순서가
될 때까지
대기해 주십시오!

다시
설치
해야겠군.

뭐시라,
합격?

이얏호!

어디선가
본
얼굴인데…

에이지
형님은
통과하셨어요?

당연하지.

157

어, 어흠! 거기 아가씨!

지는 촌뜨기가 아닌디, 요거시 지역 말투가 이래 싸서 그라요잉….

?

촌뜨기라고 생각하지 않았습니다.

하지만 그 말투 때문에 이제껏 말을 하지 않으려고 한 거라면… 어리석다고 말해주고 싶군요.

발그레..

아…….
고것이 지도 어쩔 수가 없소잉. 수도 사람들은 흐벌나게 곱상한 말투를 써부러서….

나가 맥주 먹고 허벌나게 취해 불서 사투리를 썼는디, 것 땀시 사람들이 비웃더라고잉….

뭐셔, 왜 웃는겨!

와하하하! 사투리 보게!

시골 촌놈한테
볼 일 없으니 썩 가 봐.

또…….
수도에서
한눈에 반한 아가씨를
따라다니다가
차여 부렀소잉….
그런데
그 아가씨가…!

이러고
뒤도 안 돌아 불고
가는디…….

허어흑….

야, 울지 마.
덩치도 큰 놈이
징그럽다.

…너 에이지
이 자슥아,

나가 말을
제대로 못 허니까
스트레스를
진땅 받아 부러 갔고
너한테 신경질을
내 부렀구마잉.

나가
잘못한 건 안당께….
여하튼 간에….

그래,
그래.

제 이름은
타로!

이번 해에
스무 살이 되었응께,
앞으로 친하게
지내 봅시다잉!
하하하!

에이지 형님께
이름은 많이 들었어요.
저는 열일곱 살,
헤레이스 벤덤이라고
합니다.

어어,
귀족 나리신가
본디?

아….
말은 편하게
하셔도 되는

……악!

으미,
쪼그매한
체구랑은 달리
호탕한 귀족
나리시네, 잉!

나도
형님이라고
부르드라고!

떡

험….
아가씨는
이름이
뭐당가요?

하나도
아프지
않아요….

힐끔

열여섯 살,
이아나
로베르슈타인
입니다.
잘 부탁합니다,
타로 씨.

헉,
아가씨도
귀족이셨어라?

안 그래도 여린디
우째
귀족 아가씨가
검술학부에….

야, 너 그렇게
생각하다간
이아나 양의 손에
업어치기당한다.

수련용
허수아비가
될지도 모르죠.

뭣이라?

보소! 이아나 양. 무기란 건 말이요, 본래부터 남자가 들도록 설계가 되어 있어 브러.

여자는 남자한테 이길 수 없는 게 진리랑게.

지금까지는 악으로 잘해 왔다 쳐도 5차 시험은 다를 거란 말이제. 당장 그만두는 게 좋을 것이요잉? 분명 크게 다칠 것이여!

우와, 꽉 막힌 마초 냄새

검을 휘두르는 것에 남녀의 구별은 필요 없지요.

...끙 아가씨가 할 수 있다는디 나헌테 말릴 자격은 없지 말이어라….

그, 그래도 말이여!

여자를 때리는
짜슥들은
이해할 수 없으!

이아나 양을
때리는 놈들은
내가 다~
기억해 뒀다가
다 패 놓을 거구먼!

여자한데 홀릴
타입이야.

네 몸이나
걱정해라.

뭣이여?
이것이!!

하핫!

웃기도
허네?

뭘 그리들
쳐다봐.

14000번 이후 수험생은 대기하여 주십시오!

오, 부른다.

갈까.

네!

근력 시험이라…. 괜찮겠냐, 헤레이스?

충분히 통과할 수 있어요!

중얼

…좀 힘들긴 하겠지만.

시작!

척

일렁

일렁

!

헤레이스,
벌써 저 정도의
마나를 끌어올 수
있단 말인가?

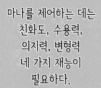

마나를 제어하는 데는
친화도, 수용력,
의지력, 변형력
네 가지 재능이
필요하다.

친화도는
마나를 끌어들이는
태생적인 재능.

수용력은
마나를
받아들일 수 있는
육체의 한계.

의지력은
마나를 끌어오거나
유지, 해방하는 능력.

그리고 변형력은
마나를 제 뜻대로
응용하는 것을
의미한다.

어린 나이에
친화도와 의지력이
대단하군.

하지만
이런 시험에
어째서 저렇게
많은 마나를…?

흡!

하, 합격!!
재정비를 위해
잠시
중지합니다!

또야...

헤레이스!

허

허

!

흡....

허

허

뒤적

꿀꺽

저 약은…?

헤레이스!!

아,
이아나 양….

저벅

저벅

괜찮나?

chapter 23

정말 괜찮나?

뭐, 뭐가요?
괜찮죠,
그럼요.

합격
했잖아요.

헤헷

…심장은
괜찮지 않은데
말이야.

흠칫..

아….
걱정하지
않으셔도
돼요.

그냥 좀
무리해서….

마나가 너를
괴롭히고 있나?

그 말은….

순간 네가
죽었다는 것.

……!

과연
이아나 양이네요.
그런 것까지
들킬 줄이야.

마나를
감당할 수 없으면
차라리 쓰지 마.

너를 위해서
하는 소리다.

그럴 수
없어요!

버럭

…집안의 기대에
부응하기
위해서인가?

175

네가 말했던,
가족을 꾸려
그들을 사랑하며
살겠다는 꿈은?

거짓말
이었나?

절대…
아니에요….

하지만…
저에게도
검사로서의
욕심은 있어요….

장하구나,
헤레이스.

장하구나!

그건
열 살 때였다.

모친을 잃고
비실비실한 몸으로
태어난 나를

가문의
모든 사람들은
친절히 챙겨주었다.

그래서 나는
노력했다.

무엇이든
최선을 다하자고
맹세했다.

다만 엄격하고
무뚝뚝한
아버지와

따뜻하지만
벽이 있는
유모 아래서
자라면서

나도 크면
따뜻한 내 가정을
이뤄야지,
꼭….

친어머니가 있는
이복형이
부러웠다.

훌륭한 검사가
되어서…!

그럼 이제
마나를
해방해보렴.

네!

후우

얼컹

얼컹

!?

헤레이스!

칭찬은 곧
비명과 고함으로
변했다.

'마나의 저주'

죽고 싶지 않다면
마나를 다뤄서는
안된다!

마나를 잘 제어하다가도,
마나를 해방하려고 하면
폭주한 마나가 쏟아져 들어와
그 사람을 쇼크로 죽이는
끔찍한 불치병이었다.

외조부 님은 이런 저를 위해 이 약을 만들어주셨어요.

하지만 계속 저는 실패했죠.

아버지의 신뢰가 냉대로 바뀌고 사람들의 사랑은 동정으로 변했죠.

그러니까 더욱… 제어를 그만둘 수 없었어요….

이젠… 약을 먹는 것도 익숙해졌어요….

헤레이스.
너는 누구보다도
강한 검사가
될 수 있을 거다

쌰아아아‥

말을 너무
쉽게 하시네요.
마나의 저주,
제 병명이죠!

네…?
제가요…?

이건
당하는 사람이
아니면
누구도 그 고통을
몰라요!

에이지 형님이나
타로 형님에게
다른 사람들에게도
말하지 마세요.
저는 동정의 시선도
싫고,

그런 시선을
받을 때마다 저는
쓸모없는 인간이
된 듯한
엄청난 무력감을
느껴요.

언제 죽을지 모를
약한 것을
보는 듯한
시선도 싫어요!

저는 여기서까지
그런 시선을
받고 싶지
않아요!

그래서
여리다는 말을
들을 때마다
진저리를 친
거겠지.

!!

미, 미안해요.
제가
무슨 말을….

아니,
사과할 필요 없어.
네 마음도 모르면서
섣불리 말을 꺼낸 내가
백번 잘못한 거지.
미안하다.

하지만 나는,
너니까
노력해 보자는
말을 했던 거다.
다른 이였으면
어림도 없어.

182

네…?
그게 무슨….

마지막 수험생 14603번!
준비해 주세요!

숨기고 싶다며?

너와 더는 이 주제로 대화할 생각은 없다.

하지만 네가 제일 먼저 해야 할 일은 밑바닥부터 시작한다는 마음가짐을 갖추는 것과 약을 끊는 일이라는 걸 알아 둬.

확실한 방법도 제시하지 못하는 주제에 이런 말을 하는 내가 못 미덥나?

난 희망적인 헛소리만 지껄이고 있는 게 아니야. 너에게서 나와 비슷한 점을 보았거든.

멍..

저벅

저벅

183

저건…
마나…?

짜악

콰

콰

콰앙

하, 합격!!

!!

슈르르..

......!

저벅

저벅

설마…
이아나 양도

마나의 저주?

아니.
나는 그렇게
생각하지 않아.

이건
축복이다.

그게 바로 재능이고,
마음가짐의 차이지.
참고로
말하는 건데,

마나는
너보다 나한테 더
심하게 달려들어.

어떻게?
몸이 찢겨
나갈 것 같은…
끔찍한 고통을
느낄 텐데….
축복요?

내가 말했지.
네게 용기와 끈기가
있다면,
그리고 재능이 있음을
믿는다면
넌 아주 강력한 검사가
될 수 있을지도
모른다고.

내가 네게 도움을
줄 수 있을지도 몰라.
난 너보다 더 심하지만
마나를 쉽게 다루니까.

이아나
양…!

노력해 볼 만 하지 않나?
검사가 되고 싶은 욕심이
아직도 남아있다면
시도해서 나쁠 건 없다고
생각하는데.

타악

chapter 24

꼴종군.

이제 그만 포기하는 게 어때? 안쓰럽다 못해 꼴불견이라고.

쭉정이가 날뛴다고 뭐가 되겠어?

너는 쭉정이일 뿐이야.

헤레이스.

…험생!

…스!

허

뭐 하는 거야?
네 차례야,
헤레이스!

…앗!

14601번
수험생!
없으십니까!

여, 여기
있습니다!

뭐야….
괜찮나, 저 녀석?
식은땀을
흘리던데.

4차는
순발력 테스트니
통과하긴
어렵지 않겠지.

제한시간 동안
다섯 번 이상
공에 맞지 않으면
합격입니다.

휘릭

휙

숙

그럼,
시작!

…싫은 꿈을
꿔버렸네.
피곤했나….

…역시
아까 그 일 때문에
옛날 일을
떠올린 걸까.

이건 축복이다.

너에게
용기와 끈기가 있다면,
그리고 재능이 있음을
믿는다면

내가 네게 도움을
줄 수 있을지도 몰라.
난 너보다 더 심하지만
마나를 쉽게 다루니까.

이아나 양은….
내가
지금까지 봐온
귀족 영애와는
달라.

마치
동화책 속에서만
나오는
멋진 기사님
같아.

대체 어떻게
살아온 걸까….

헉 헉

종료!

14601번
통과!

수고했다.
딴생각하면서도
아주 잘 피하던걸.

후우….

깜짝

이아나 양
....

14603번,
시험
시작하겠습니다!

예.

꾸벅

스윽..

저벅

저벅

굳은 신념
아래 자신의
능력을 믿고

모든 것을
스스로 결정하고
행동하는
멋진 사람.

헤레이스,

너는 누구보다도 강한 검사가 될 수 있을 거다.

…저는 겁쟁이라 아직 용기를 내지 못하지만….

당신과 함께라면 이 망설임은 길지 않을 것 같아요. 이아나 양….

14603번 통과!

수고하셨습니다!

최종시험을 치를 인원은 312명입니다!

196

이야, 아직도 엄청 많네.

그래도 엄청 줄었네요. 그중에 제가 있다니 정말 기뻐요.

한 학년이 80명인 걸 생각해보면 여기서 4분의 1만 붙는 건가.

글썽 글썽

인마, 너 너무 소심해. 너 정도면 천재야. 자신감을 가져.

제가 무슨 천재예요. 저 열여섯 살 때는 1차 시험에서 떨어졌는걸요.

뭐야? 너 재수생이었어?

네. 그래서 이아나 양과 에이지 형님한테 더 고마워요. 악을 쓰고 해서 간신히 통과 했으니까요.

전 혼자 있으면 쉽게 포기해 버리거든요.

정말 고맙습니다.

짜식.

그럼 내일부터 진행될 5차 시험에 대해 설명해드리겠습니다.

학술원 검술학부 시험은 내일로 끝이 납니다. 서른아홉 명씩 조를 나누어 거기서 열 명씩 선발하므로, 312명 중 80명은 검술학부에 최종합격하는 겁니다.

조는 무작위로 나누었습니다. 옆의 종이에서 조를 확인하고, 내일 오전 열 시, 학술원의 대형 경기장으로 오십시오.

이상!

와글

와글

오오,

타로랑 이아나 양이 같은 4조야.

그래? 그런데 타로 씨는 지금 어디에?

나도 모르겠어. 이아나 양이랑 헤레이스가 시험 치고 있을 때, 갑자기 일어나더니 어디로 황소처럼 달려가던데.

여기 왔다잉.

198

우왓! 뭐 하다 왔냐?

여신님이 지나가는 걸 봤지라. 그래서 냉큼 뛰어가 보고 왔당께.

뭐, 여신님? 설마 네가 첫눈에 반했다는 여자? 촌놈이라고 볼일 없다고 한 그 여자?

그려, 그려. 오늘도 그 소리를 들었으.

아니, 여인네가 어째 그래 이쁠 수가 있당게?

어떻게 생겼는데?

좋냐?

하얗고, 가느다랗고 …….

아니 근디 나가 왜 여신님에 대해서 네놈헌티 말해야 하는 거여?

궁금하잖아. 이아나 양처럼 예쁜 여자아이를 앞에 두고 다른 여자한테 목매니까 신기할 수밖에.

아…. 당근 이아나 양도 이쁘긴 헌디,

내 이상형인 여린 사슴이라기보다는 호랭이나 사자 같다고 해야 허나….

거기서 내 얘기는 왜 나오는 거냐.

그 뭐시여,
3차 시험 때
둥그런 걸
무지막지한 힘으로
부숴 먹을 때부터-

여자면서도
여자가 아니라고
생각하기로
했당께.

흠.

크…
크크크,

그건 그냥
완전히 남자…
아아악!

떡

그런데 그분이
왜 학술원에
있는 거예요?

그게 말이여,
여신님이
학술원의
학생이었지
뭐여!

오메, 이걸로
나가 학술원에
들어가야 할 이유가
하나 더 생겼당께!

쯧쯧

이런
속물….

다음 시험은
뭣이여?!
이 커다란
종이 쪼가리는
또 뭣이고!

200

단체전인 것 같아.

4조 준비!
지난 해까지는 진검으로
시험을 진행했으나,
많은 사상자가
발생했던 관계로
올해부터는 목검을
사용합니다.

규칙을 다시 한 번
말씀드립니다!
시합에서
실격하는 경우는
다음과 같습니다.

첫째,
스스로 항복할 때.
둘째,
전투 불능에
빠질 때.

셋째,
경기장 바닥에
손과 발을 제외한
신체가 닿을 때,
넷째, 장외로 나올 때.
다섯째,
마나를 사용할 때.

뭐여.

수험생들은
오로지 지급된 검,
혹은 격투로
다른 이들을
실격시키면 됩니다.
전투 불능은
시험 조교들이
판단합니다.

최종적으로
열 명이
남을 때까지
시합은
계속됩니다.

삐빅

그럼, 시작!!

척

타탓

멈칫

?!

내 뒤에 딱 붙어 있더라고.

이아나 양은 여자라고 얕보는 놈들이 무지하게 많을 것이니께? 쉽게 쉽게 가자고.

나가 덩치가 커서 인간들이 잘 안 덤빈당께. 이아나 양은 내 뒤에서 내 뒤통수치려는 놈들만 잡아 주면 되는 거여.

······ 필요 없는 친절을····.

이딴 허접스런 목검은 필요 없당께!

휙

와아아··

오.

뿌직

퍼억

어델!!

과연.
힘이 괴물 수준이라
진검 대련이
아닌 이상
힘만으로 상대해도
되겠어.

퍽

으랏차차

퍽

슬그머니..

이럴 필요
없는데.

척

사람의
뒤통수를
치려 하다니,

예의가 없는
놈이야.

chapter 25

사람의 뒤통수를
치려 하다니
예의가 없는
놈이야.

이얍!!

악…!

잡았…

이제야 에이지랑 헤레이스가 왜 그런 말을 했는지 이해가 가.

이건 뭐 호랭이한테 덤벼드는 토끼 떼들도 아니고….

칭찬 고맙습니다.

여장부구마잉! 그리고 나헌티도 말을 놓드라고. 이아나 양과 존대는 별로 안 어울리는 것 같으니께.

그러지.

으메, 시원시원한기 사내놈들보다 훨씬 낫구먼.

앞으로 잘 지내보장께!

스윽..

짝

뭐 하는 거야,
저거….

한창
시합 중인데….

으으,
맨몸이라고
쉽게 생각했는데
센 걸…. 저놈.

즈즘..

고작
여자인데….

그래도
맨몸이니까!

여자니까!!

하아압!

213

시험 종료!

감히 어딜~

214

현재
서 계시는
열 분이 4조의
최종합격자
입니다!!

끄아아아아!
끝났다!

붙어서 기분이
끝내주는디!
이아나 동기,
앞으로
잘해 보자잉!

만세!

!

퍽

그래.

욱신
욱신

5조
시험종료!!

뒤에서
발을 걸다니….

얍삽한 놈.

8조
시험종료!!

허

허

휴

215

이상 80분이 검술학부 최종합격자로 선정되셨습니다!

와아아..

제1검술학관

결국 전부 합격했군.

그러네요.

이아나 양은 이번 기수의 홍일점이네. 겉가죽만 보고 집적대는 놈들이 엄청 많겠지. 고생 좀 할걸?

별로 상관없다. 허튼짓하는 놈들은 검으로 때려눕히면 되니까.

이아나 양, 멋있어요.

뭐야, 헤레이스. 너 설마 이아나 양을?

응? 아, 아니에요!

아니긴 뭐가 아니야? 얼레리 꼴레리~

아니라니까요? 전 그냥 이아나 양이 멋있어서….

아이고, 여신님 기다려유…. 흐흐.

몇 살이냐.

반갑습니다, 여러분! 우리 검술학부에 합격하신 것을 축하드립니다!

앞으로의 일정을 말씀드리기 전에 교수님 한 분을 모셨습니다!

이분은 왕국의 근위기사 단장직을 수행하시다가 은퇴하신 후,

검술학부의 요청으로 저희의 지도를 맡아 주신 필리거 애슐턴트 교수님입니다.

귀족과 평민이 아닌 스승과 제자의 관계를 중요하게 여기시는 분이니, 그저 필리거 교수님이라고 부르면 됩니다.

필리거 애슐턴트! 애슐턴트 백작가문의 전 가주…!

웅성

왕의 신임을 한 몸에 받는, 왕국의 방패라 불리우는 거물 ……!

웅성

!!

217

그러니 앞으로 열심히 하십시오. 이상.

감사합니다!!

감사합니다, 필리거 교수님!

엄격하시지만 누구보다 학생들을 잘 챙겨주시는 분입니다.

예!!

모든 것을 실력으로 평가하시는 분이니 노력하십시오!

웅성

중요 공지가 있습니다. 먼저 2월 15일까지 학술원에 등록을 마쳐 주십시오.

학술원 본부에 가서 등록 처리를 하시면 됩니다.

나가실 때 종이를 한 장씩 드릴 테니, 자세한 건 종이에 적혀 있는 설명을 잘 읽어 보시고

웅성

그리고 제가 가장 말씀드리고 싶었던 건, 이것!

신입생 검술대회!!

임시 소집일인 20일부터 신입생 검술 대회 예선전을 시작합니다!!

이걸 기다렸지

과연.

와아아‥

탈락하셔도
별 상관은 없지만,
검술 학부의 학생으로서
사람들에게 처음으로
눈도장을 찍는
중요한 대회입니다.

교수님들께서
관전하실 예정이고
큰 대회라
구경꾼들도 많을 테니
열심히 해 주시길
바랍니다.

그럼
마지막으로….

검술학부에
입학하게 되신 것을,
진심으로
축하드립니다!

와아아

와아아

chapter 26

합격 축하드려요!
여러분!

축하의 의미로
성심껏
준비했으니

와~

엄청나네요~

맘껏 드시고
마셔주세요~!

223

건배!!

따악

건배!!

그래서 다들 입학식 전에 뭐 할 거야?

고향에 갔다 와야제. 짐도 챙기와야 하고 가족들도 함 봐야 하니께. 다시 올라믄 바빠 브러.

집이 머신가 봐요. 2월 20일부터 검술대회 예선전이니 무리하시지 않는 게 좋을 것 같은데.

우리 성님들이 바쁘기도 바쁘고, 뭣보다 아부지가 엉댕이가 좀 무거워 가지고 안 와 부러야.

그리고 그 인간들은 수도에 올라오면 아주 온갖 지럴들을 하면서 민폐만 부릴 게 분명하니께.

내 참.
대체 네 고향은 어디고
너희 지방은 대체
뭐 하는 집안이냐?

맛있군.

비밀이랑게.
타국이라는 것만
알고 있으라고.

뭐가 그리 비밀이라고
꽁꽁 숨겨 댄담?
조사하면 다
나오게 되어 있어.

주황 머리,
타고난 꺼먼 피부,
대륙 남서부 쪽 방언!
엄청난 대검!
힘센 근육덩어리 가족!
요것만 있어도
딱 견적이….

주절주절

팍

버럭

아프잖아,
임마!

나중에
다 말해 줄 테니께
궁금해도
참더라고.

알았다.
이 무식한 놈아.
나도 딱히
여기 있는 사람들
정보 파낼
생각은 없어.

그런데
이이나 양도
영지로
돌아가야 해?

영지가
어디에
있는데요?

그래.
내 손으로
짐을 다 싸서
내려올
생각이니까.

왕국의
최북단.

와…….
먼디?
언제 가려고?

내일 학술원에 가서
등록을 마치고
바로 올라갈 생각이다.
초상화를
그려야 한다고
하던데.

어,
그라믄 나도
내일 등록해야
쓰것다.

응? 그럼
이왕 이렇게 된 거
시간 맞춰서
다 같이 가자고.

그러자꾜!

학술원을 위해
한 번 더
건배!

하 하 하 하
짝

번호표와 원서
확인되었습니다.

교복 치수는
이쪽에서
재어드리겠습니다.

네.

227

다 됐습니다~
수고하셨어요!

감사합니다.

예의도 바르셔라!
여기 받으세요~

호오….

다들 아직
한참 남은 것
같군….

먼저
본부에 갈까.

좀 더 미소를!!

똑바로
서세요

본부

이아나 로베르슈타인 님.

북방지역을 맡고 계신 백작 각하의 따님이시군요.

힐끔

의외란 표정이군.

대부분의 귀족은,
특히 그중에서도
백작 이상의 고위 귀족들은
열에 열은 테오도르 아카데미로
향한다.

학술원의 교육이
뛰어나다고는 하나,
귀족을 상대로 하는 교육과
평민을 상대로 하는 교육은
다를 수밖에 없다.

또한,
아카데미에는
귀족들만 있으니
동기들과 미리
친분을 쌓아 두면
훗날 사교계에
쉽게 녹아들 수 있는
이점이 있지만,

학술원의 경우에는
대다수가 평민이므로
동기들과 친해져 봤자
다소 영양가 없는 인맥만
형성된다.

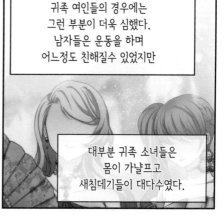

귀족 여인들의 경우에는
그런 부분이 더욱 심했다.
남자들은 운동을 하며
어느정도 친해질수 있었지만

대부분 귀족 소녀들은
몸이 가냘프고
새침데기들이 대다수였다.

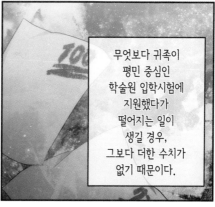

무엇보다 귀족이
평민 중심인
학술원 입학시험에
지원했다가
떨어지는 일이
생길 경우,
그보다 더한 수치가
없기 때문이다.

기숙사를 신청하실 건가요? 기숙사는 2인실입니다.

귀족분들은 따로 집을 구하시는 경우도 많은데 어찌해 드릴까요?

기숙사를 신청하겠습니다.

네, 기숙사는 2월 20일에 배정해드릴 거고요. 짐은 그때부터 옮기시면 돼요.

명패에는 성은 빼고 이름만 들어갑니다. 등록금은… …아.

검술학부?

맞습니다.

끄덕 끄덕

우와! 제가 본부에서 몇 년이나 일했는데 여자 검술학부생은 처음 보네요.

아니, 정말 검술학부 맞으세요? 세상에나.

맞습니다.

정말로
어떻게 합격을
…….

쯔재릿

움찔

네, 네에.
검술학부의 경우
1학기 등록금이
15골드고요.

식사비와
기숙사비까지
합쳐서
25골드를 내시면
돼요.

허둥
지둥

233

등록금은 2월 말까지
내셔야 합니다.
검술학부는 신입생배
검술대회의 성적에 따라
장학금이 분배되니까
열심히 하셔서 등록금을
많이 차감해 보세요.

3월 1일 입학식에
개최되는 준결승전과
결승전에 진출하시는
분들의 경우는
전액 면제지만

아가씨와는
별로 인연이
……험.

…….

아가씨라….

회귀 전에도
많이 보았지.

선입견에 사로잡혀
실력을 인정하지 않고
경멸과 무시를
내보이던 자들.

하지만 그들도
후에는 알아서
머리를 숙였다.

일일이
불쾌히 반응할
필요는 없다.
모든 것은
실력이
증명해 줄 테니
…!

235

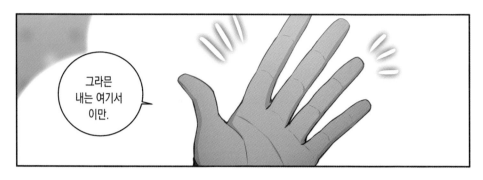

그라믄 내는 여기서 이만.

안녕히 가세요!

다들 잘 지내.

2월 20일에 보자고.

이젠 자주 못 뵙겠네요! 서운해요~~!

주말에는 종종 들르도록 하지.

네!

로베르슈타인 영지에 다시 돌아갈 생각을 하니 기분이 가라앉는군…

chapter 27

라오스 신전
······.

회귀의 답이
여기에 있을지도
모른다···!

안녕하세요,
형제님.

활짝

오늘도 주신 라오스의 광명이 함께하시기를. 무슨 일로 오셨나요?

형제님이라….

제가 변방에서 온지라, 라오스 신께서 굽어보고 계신다는 대신전을 둘러보고 싶어 방문했습니다.

아아~

그러시군요. 신의 과거를 되새기고 싶어 이곳에 오시는 분들이 많지요.

천천히 둘러보고 가셔도 됩니다만 무기 소지는 금지되어 있답니다.

검은 제게 맡겨 주시고 나중에 나가실 때 입구에서 찾아가세요.

어쩔 수 없지.

라오스 신의 유물은 많지만, 그중에서도 신전을 대표하는 라오스 대신상과

천지를 창조하시는 신의 일대기를 그린 벽화는 꼭 보고 가세요. 둘 다 대법전 안에 있답니다.

소중한 검, 잘 받았습니다.

보관토록 하겠습니다.

대법전은 이쪽입니다.

!!

라오스
…….

라오스가 세상을
다시 만들어 낼 수
있었던 원동력은
때 묻지 않은
어린아이의 순수함과
상상력이라고 한다.

이러한
순수함을 상징하여
라오스는
오로지 백색으로
표현된다.

저벅

저벅

새하얀 라오스는
창조와 함께
점점 성장하고 있었다.

이 세상에 존재하는
모든 것을 창조하고
어른이 되었을 때

제 모든 사명을
끝냈다고 생각한 라오스는
이 세상에서
모습을 감췄다고 전해진다.

5분 후에
문을 닫습니다.

신전을 찾아 주신
형제님들,
라오스의 은총과 함께
좋은 하루가 되셨기를.

!

벌써 그렇게
되었나….

성서에 나오는
마도시대의
창조과정이
그대로 그려져
있을 뿐….

괜한
시간 낭비를
한 것 같군.

휴..

신상이나
한 번 더
보고 갈까…

빙글

저벅
저벅

검은 로브?

중얼
중얼

음습한 분위기를
풍기고 있군.

…로브를
벗으라고
요구할 법도
한데…

일끔

따히
주의를 주진
않는 건가.

헌금이라도
많이 낸
모양이지.

저벅
저벅

스윽

247

대체 그분과
황금의 악마는
어찌 되었는지
…….

혼자서만 유일한
신으로 숭배받는
라오스….
그 쥐새끼
같은 것….

당신은
누구지?

내 몸 안에
잠들어 있을
그 기운은
대체 뭔가?

당신들이
말하는
로베르
슈타인은….

……
대체 누구?

잠잠..

…대답이
돌아올 리 없지,
한심하군.

돌아가자….

힘칫..

!!

워

살기…?

살이
에일 것 같은
날카로운
살기다…!

뭐 하자는
거지…?

하필 수중에
검이 없을 때
……!

지금 나랑
장난하자는
건가?

지나가던 사람에게
갑자기
살기를 쏟아 내고,
입만 다물면
다인가?

벌거벗겨진 상태로
맹수 앞에 놓인
초식동물이 된 것 같은
느낌이다….

……

머리가
어떻게 된
벙어리인가
보군.

당신,
내가 검을 들고
있을 때
만나면 죽는다.

빌어먹을….

언제 뒤로
접근한 거지?

놔!!

다음 권에 계속

난 신성시대의 사람…

아니, 신이다.

헛소리 말고 가서 쳐 자.

!!

헉

진, 진짜야!!!

내 능력은 세뇌고,

최하급의 신이라 남의 신력을 빌어먹고 살았어!

……근데 정작 체르노한테는 세뇌가 통하지 않아서…

참 쓸모없네

갑자기 설득력이 생기네

…계속해 봐.

여신 로베르슈타인 님.
하급중에서도
최하급의 신이었던
나를 그분은
거두어 주셨어.

그분은 누구보다도
아름다우셨고
그분의 강인한
영혼과 기운,

그리고
강인한 검이
너무 좋아서
정신없이
쫓아다녔어!

냉정하고
단호하신
분이었지만

내게는
누구보다도
다정하셨지

게다가
둘만 있을때는
좀더 그랬어!

얼마나
멋지셨는지
몰라~

그 붉은 모습은
그야말로~~
꺅!

아 괜히
들어줬다

너무 멋진
로베르슈타인 님!

깍깍

본론은
언제 나오는거냐

르보니의 자세한 과거는
아도니스 본편에서!

258

세뇌된 호르비가 암살자로 등장!

승리!

미친 르보니가 달려들었다!

소멸!

외조부 호르비가… 암살을 하러 왔었다고?

그렇습니다.

…르보니도 안 보이는데

난 아무렇지도 않아.

르보니는 떠나겠다고 했습니다.

영원히.

… …

더는 물을 용기가 없다

로베르슈타인가를 떠나고 싶다고? 대체 왜? 우린 가족이잖니!

제게 가족은 없습니다. 마음만 받지요

그렇지 않아… 나를 어머니처럼 여겨주었으면 좋겠구나

하지만 네 결심이 굳다면 어쩔 수 없지.

이스피… 네가 차라리 내 어머니였다면

아가씨~

대신 조건이 있단다. 첫 번째, 독립은 열아홉 살이 되는 날 할 것

두 번째, 1년만 쉬다가 열 일곱 살에 사교계 데뷔를 할 것.

2년간 왕국의 중요한 파티때마다 참여해야 하고 그때마다 내가 동행할거야.

찰깔깔

찰깔깔

난 이게 제일 중요해.

그리고 세 번째, 생활을 유지할 만한 한 가지 이상의 능력을 개발할 것.

네 번째, 독립 후의 계획서를 구체적으로 짜올 것. 참 학점은 평균 B이상이어야 해 알겠니?

이게 어머니로서의 사랑체인가

260

〈엘로나의 낙원〉에서
날뛰는 블랙폭시의
조무래기들

이 블랙폭시의
문양이 눈에
안 들어오냐!

이거
놔주세요!

가려져 있으니
당연히 보일리 없지.

뭐?

괜찮습니까?

네에

멋진 기사님…!

이제 보이는군
아주 훤~~히

우아아앗
보, 보지마!

대단한 걸. 뭐하는 여자지?

정체를 밝혀볼까?

나 정보상 에이지 님의 이름을 걸고!

죄송해요 손님 더 이상 비는 방이 없네요.

!!

노숙

밤은 아직 쌀쌀하네

안녕하세요.

쿨럭

수상한 놈...

훌쩍

보통 귀족 아가씨들은 이렇게 어두운 길은 무서워서 못 다니던데

이아나 양은 태연하네요.

저벅

저벅

두려움을 버린다면 어둠은 휴식을 취하는데 도움이 되지요…

스윽

…이아나 양?

컴컴

무섭나요?

화들짝

으악!!

의외로 겁이 많군요.

당연히 놀라죠!

부들

신발 단추가 영 헐겁군

부들

방금은 진심으로 싸운게 아니라구요?

그럼 저도 대충 상대해드리죠

호오?
대충?

당신 정도면 눈 감고도 이길 수 있습니다

눈을 감고?!

저기 아가씨·· 왕립 도서관은 어느 방향이죠?

남쪽 대로로 가시면 됩니다.

승부중에 행인에게 길 안내를!

진짜 대충하네

근데 세···

완벽히 졌습니다.

당연하지.

이아나양. 말투가 너무 무뚝뚝하잖아 말 놔도 돼~

알았다 에이지.

에이지 오빠라고 불러~

에이지!!

아, 너도 원한다면

쿠궁

나에 대한 존칭을 허락하지.

두둥!

귀족

신분

하인?

…이아나 님.

의외로 고분고분하군

농담이었는데

꾸벅

발젠타 학술원
1차 시험.

준비된 목검으로
시험용 허수아비를
9999번 타격하는 것이
합격 조건입니다.

찌르기도
포함 됩니까?

네! 공격의 형태는
자유입니다!

쳇 계집애가
종알종알 시끄럽군.
검을 휘두를 줄이나
아는거야?

그냥
통과시킬까요?

데구르르...

목검으로
베어버렸어?!

아,
타격하는 거였죠

평소 모드

274

2차 시험

거기 쫑알쫑알 시끄럽구만!

왜 그렇게 화를 내?

그쪽은 떠들 친구가 없어서 외로워?

뭐야?!

어, 어디서 헛소리를…!!

어라라? 정답이야?

외로운 형씨~ 나라도 좋으면 말동무가 되어 줄까?

타쿠씨~ 직업 갈래?

누가 맘대로 내 이름 부르래!!

으아아아 뭐야 이자식 떨어져!!

수줍어 하지 마

저 남자 에이지와는 상극 타입이로군

이쁘고 귀여운 것에 약하다

3차 시험

못참겠다 에이지 이눔!!

측정기가 부숴졌어!

네눔이 자꾸 곱상한 말로 깐족거리니까

월매나 스트레스 뱉고있는지 알어!!

……내가 신경쓰여?

그렇게나 날 의식한거야?

완전 즐기고 있군 에이지.

수험생도 터졌어!

결국 친해졌다.

괜히 화풀이해서 미안했당께

야야 갑자기 솔직하게 굴면 내가 더 부끄러워지잖아

277

약을 먹지 않으면 마나는 제게 달려들어요…

'마나의 저주'…

이건 끔찍한 고통이에요!

그건 틀려. 헤레이스.

마나는 너보다 날 좋아해

네…?

이아나 양… 당신은 대체…

이걸 봐

?!

나는 '마나의 축복' 이라고 부르지

마나의 축복?

포기하려고
했던
기사의 길을

이아나양의
말을 듣고
희망을
찾았다

멋진
기사같아…

와아~
과연
이아나양

하이 왠진
고립과…

저 열심히 할게요!

그래

그리고
에이지 형님은…
얼빠진 시종같아

헤레이스~?
왠지 네 마음의 소리가
들린다~?

5차 시험. 단체전

저 여자 보통이 아니던데

시험 때 근력측정기도 때려부쉈고…

하지만 여자니까!!

으럇!!

대체 왜 정보를 분석하질 못할까…

정보상

학습 능력이 없나?

에이지는 다른 조.

무사 합격한 이아나 일행

생각해보니 새삼 험난한 여정이었어

정말요

1차

제발 그만 때려줘…!

2차

찔리고 싶지 않아아아아

3~4차

이번엔 꼭 합격하겠다고 고향의 어머니에게 맹세했는데에에

인간이여 어째서 내게 화풀이를 하는가……

5차

……에이지 형님 뭔가 핀트가 이상해요

응?

협력 정말 축하드려요!

왕아아

오~!

모두 수고했어!

건배!

저기… 이아나 양은
저보다 어린데
술 마셔도 괜찮아요?

……잘들어
헤레이스

이건
술처럼 보여도
술이 아냐.
술 비슷한 거야

그래.

술이 아닐텐데
왜 취했지?

분위기에
취한 거겠지.

예?
하지만…

설정이 그러니까
그렇게 알아.

…설정?

다들 입학식 전에 뭐 할 거야?

고향에 갔다 와야제.

짐도 챙기와야되고 가족들도 함 봐여하니께.

나도 영지에 들러 짐을 가져올 생각이다.

아 저도요!

응응 그렇구나

나?

돌아갈 집도 절도 없는데?

에이지 형님!

저희 영지에 놀러오실래요?

농담이야

진담인거 같은데

그럼 또 보자고!

그래

로베르슈타인 영지에 다시 돌아갈 걸 생각하니 기분이 가라앉는군.

음?

맞다

라오스 신전에 들러볼까

이건 이스피가 좋아할 것 같은 장신구로군.

이 책은 카니츠가 찾던 옛 서적이 아닌가.

귀향 선물도 챙기고 이아나 양 상냥하네

…· ···

감사합니다~

난 아무렇지도
않아.

…지금 내 품에 있는 너는….

환상이 아닌가 ……?

이… 목소리는 ……!!

아르하드 …!!?

와…,
예쁜 누나네.

다시 시작된 삶에 대한
갈피를 찾기 위하여 신전에 방문한 이아나는
수상한 남자에게 아르하드의 기척을 느낀다.

아르하드일 리 없다며 애써 무시하고 나아간 길에는
또 다른 만남이 기다리고 있는데….

'신력과 비슷한 이 기운은…!'

아도니스 다음 이야기, 3권에서 이어집니다!

Adonis ②
아도니스

초판인쇄| 2023년 1월 16일
초판발행| 2023년 1월 31일

만화 | 팀 아도니스
원작 | 혜돌이
펴낸이 | 조승진
펴낸곳 | ㈜동아미디어

출판등록 | 제 2020-000107호
주소 | 경기도 파주시 광인사길 9-6
전화 | (031)8071－5201
팩스 | (031)8071－5204
E－mail | bear6370@naver.com

정가 | 15,000원

ISBN | 979-11-6302-626-6 07810
ISBN | 979-11-6302-624-2(set)